Made in the USA
Middletown, DE
09 December 2019

80313711R00062